Coordinación de Colección Argentina:
Laura Giussani

Asesora literaria:
Alicia Salvi

Corrección:
Florencia Carrizo

Dirección de arte:
Departamento de imagen y diseño GELV

Diseño de la colección:
Manuel Estrada

Diagramación:
Nancy Bazzano

1ª impresión, febrero 2008
1ª reimpresión, abril 2010
2ª reimpresión, diciembre 2011
3ª reimpresión, abril 2013
4ª reimpresión, julio 2015

© Del texto: Liliana Cinetto
© De las ilustraciones: Mima Castro
© De esta edición: Edelvives, 2007

ISBN: 978–987–1348–87–9
Queda hecho el depósito que dispone la Ley 11.723

Este libro se terminó de imprimir en julio de 2015,
en Artes Gráficas Integradas S.A., Buenos Aires, Argentina.

FICHA PARA BIBLIOTECAS

Cinetto, Liliana
Problemas en el ropero... y otros versos diversos. - 1ª ed. 4ª
reimp.- Buenos Aires: Edelvives, 2015.

48 p.: il.; 20 x 13 cm.
ISBN 978-987-1348-87-9

1. Literatura Infantil Argentina. I. Título
CDD A860.928 2

EDELVIVES

ALA DELTA

Problemas en el ropero...

y otros versos diversos

Liliana Cinetto

Ilustraciones
Mima Castro

Problemas en el ropero

Sucedió algo muy extraño
hace muchos, muchos años
pues, de pronto, una mañana
en un vestido de lana
que vivía en un ropero...
¡apareció un agujero!
Lloraba desesperado
el vestido agujereado
mientras le daban consuelo,
desde un cajón, los pañuelos.
Acusaba a la tijera
que todo lo cortajea
un viejo par de zoquetes
sumamente meteretes.
Pero un pijama le dijo:
—Ella corta muy prolijo.
Criticaban los dos guantes:
—Roperos eran los de antes.
Preocupadas varias medias
que estaban bastante serias
pedían al pantalón
que busque una explicación.
Este retó a la camisa
que estaba muerta de risa
y pidió ayuda al tapado
colgado del otro lado.

Pero el saco entrometido
interrogó a los testigos.
—No sé. Yo estaba de viaje
—explicaba serio un traje.
—Yo fui a pasear un buen rato
—se defendía un zapato.
—Yo les pido mil excusas
—se disculpaba una blusa—
pero me estoy arrugando
de tanto que estoy pensando.
—Pudo haber sido cualquiera
—sospechaban las remeras.
Le contestó de mal modo
ofendido el sobretodo.
La corbata proponía:
—Llamen a la policía.
Como todos discutían
la bufanda se aburría.
Buscaron intensamente
hasta que por accidente
dentro de una zapatilla
hallaron a una polilla.
Se entregó sin resistencia,
pero pedía clemencia
pues estaba allí escondida
realmente arrepentida.
Confesó ser la culpable
porque estaba muerta de hambre
y, aunque al fin la perdonaron,
de ese ropero la echaron.

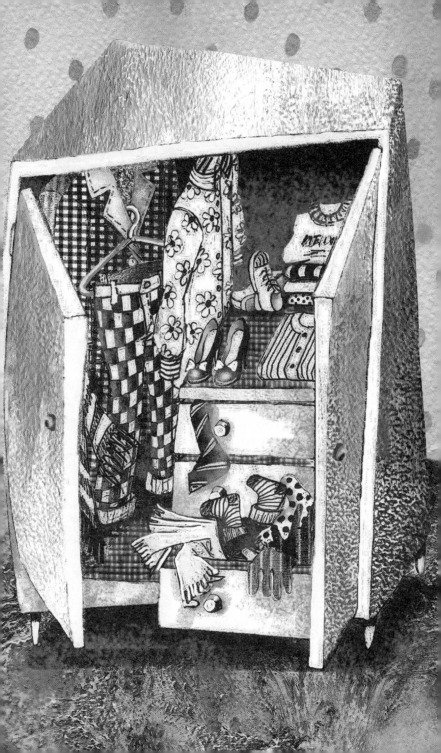

El ombligo paseandero

El otro día un ombligo
que estaba un poco aburrido
decidió por la mañana
dar la vuelta a la manzana.
Se escapó de la barriga
que se sintió muy vacía
y que hacía mucho ruido
para llamar a su amigo.
Pero él ya se había ido
sin haberse despedido
porque salió rapidito
con su traje arrugadito.
Una lombriz con sombrero
lo llevó de pasajero
y le prestó el caracol
unos lentes para el sol.
Con una flor, la polilla
le fabricó una sombrilla
y con pétalos de rosa
le hizo un chal la mariposa.
Muy generosa, la hormiga
le convidó cuatro migas
y una abeja del panal
llenó con miel un dedal.

Una pulga saltarina
lo acompañó hasta la esquina.
Pero comenzó a llover.
Entonces quiso volver.
Y allá regresó empapado
y un poquitito mareado
a su lugar en la panza
que es donde siempre descansa.

El fantasma enfermo

El fantasmita está enfermo.
Su fantasmamá lo cuida.
Le da jarabe de luna
y tecito de neblinas.

Y le acomoda la sábana
que se le llena de arrugas
cuando el fantasmita enfermo
estornuda y estornuda.

El fantasmita está enfermo.
Tiene fiebre y tiene tos.
Su fantasmamá le da
sopa de estrellas y arroz.

Y le suena la nariz
con un pañuelito blanco
bordado con telarañas
y recién almidonado.

A las doce de la noche
llega el fantasma doctor
que le dará algún remedio
para aliviar el dolor.

—Tiene que estar abrigado
—dice mientras lo examina.
—Debe quedarse en la cama
y tomar una aspirina.

Papá fantasma lo reta
enojado en fantasmés.
—Si vuelve a salir de día,
se va a enfermar otra vez.

En cambio, mamá fantasma
con su sonrisa de plata
le hace muchos fantasmimos
y lo arropa con la manta.

Ahora el fantasmita sabe:
los fantasmas se resfrían
si en vez de salir de noche,
salen a pasear de día.

EL VIAJE DEL SAPO

Con muy poquito equipaje
que preparó en un segundo
el sapo se fue de viaje
para dar la vuelta al mundo.

El ciempiés le regaló
una sombrilla de trébol
y con un papel de diario
le hizo un gorro marinero.

Con ovillos de neblina
la araña le había tejido
una bufanda plateada
por si hacía mucho frío.

Zarpó en un barco de otoño
hecho con hojas doradas
cuando el viento dibujaba
garabatos en el agua.

Lo despidieron dos ranas
desde un charquito, en la orilla,
que agitaban en el aire
su pañuelo con puntillas.

Navegó por el arroyo
justo hasta el atardecer.
Navegaba rumbo al mar
que soñaba conocer.

El horizonte a lo lejos
ya se teñía de rojo
porque el sol se iba a acostar
mientras le guiñaba un ojo.

Y con rumbo al mar se fue
conversando con la Luna
que le cantaba a la noche
su blanca canción de cuna.

Las travesuras de la tijera

En el costurero ayer
protestaba un alfiler:
—¡Qué traviesa es la tijera!
Todo, todo cortajea.
—Miren cómo me ha mordido
—dijo un hilván descosido.
—Con sus dos ojos me espía
mientras corta todo el día
—la acusó un metro de tela
bordado con lentejuelas.
—A mí me tiene cansada
—dijo una cinta enojada.
—La tijera es una bruja
—gritó ofendida una aguja—
porque arruina mi trabajo
cada vez que le hace un tajo.
Cuando el cierre abrió la boca
opinó que estaba loca.
—Con sus dientes afilados
está siempre haciendo estragos
—lloraba un hilo enredado
y un poco deshilachado.
Lo consolaba la lana
que tejía en la ventana.
—Yo estoy quedando muy flaco
pues me corta a cada rato
—le decía a un dobladillo
muy preocupado el ovillo.

Al centímetro pedían
que al fin tomara medidas.
Muy orgulloso, el dedal,
con su traje de metal
era el único valiente
que se ofreció a hacerle frente.
Pero entonces se enteraron
de lo que había pasado.
El chismoso del botón
asomado en el balcón
del ojal de una camisa
les dijo muerto de risa:
—La tijera impertinente
se rompió todos los dientes.
Se lastimó de este modo:
por querer cortarlo todo,
quiso cortar la tijera
el cordón de la vereda.
Y así fue que la bromista
terminó yendo al dentista.

La escuela de los gatos

En la escuela de los gatos
dan lecciones de maullido
en do y en fa sostenido.

Ensayan en cada clase
las melodías gatunas
que le cantan a la luna.

Y también las serenatas
para ronronear su amor
a alguna preciosa gata.

El coro de michifuces
tararea sus canciones
por terrazas y balcones.

Los gatos que desafinan
cantan igual por las noches
en la casa de la esquina.

Con una batuta rosa
les va dando indicaciones
una gata primorosa.

Y va marcando el compás
leyendo la partitura
de adelante para atrás.

Do, re, mi, fa, sol, la, si...
Sentaditos bien derechos
cantan siempre por los techos.

Si, la, sol, fa, mi, re, do...
Bien derechitos sentados
cantan siempre en los tejados.

Con pantuflas y pijama
los escuchan los ratones
sentaditos en sus camas.

Y se tapan las orejas
porque les cae muy mal
semejante recital.

Pero hasta que salga el sol
tendrán que oír a los gatos
tarareando en mi bemol.

ALGO PASA EN ESTA CASA

Algo pasa en esta casa
que tiene puesto un sombrero
en lugar de una terraza.

Y florecen todo el tiempo
los árboles del jardín
porque se ponen contentos.

La escalera se ha enojado
pues su traje de escalones
parece que está arrugado.

Le preguntan las paredes
al techo por qué no usa
un paraguas cuando llueve.

También lloran las hornallas
porque el fuego les quemó
todo su vestido a rayas.

Y protestan las canillas
porque el agua cuando sale
les hace muchas cosquillas.

Se queja la biblioteca
pues no puede leer los libros,
si la obligan a estar quieta.

Está retando la mesa
a las sillas que se han ido
a caminar por las piezas.

Como se aburre el sillón
porque lo dejaron solo,
refunfuña en un rincón.

Llora en el techo la araña
porque está arriba, tan lejos
que a sus amigos extraña.

Muy coqueta la cocina
para salir a pasear
se maquilla con harina.

El piso se desespera
al ver que muerta de frío
se ha abrigado la heladera.

El ropero y los cajones
se llevan toda la ropa
para irse de vacaciones.

Y la cama está ofendida
porque la almohada haragana
siempre se queda dormida.

Las ventanas y las puertas
para espiar a los vecinos
deciden quedarse abiertas.

Y muy chismosa la llave
le cuenta a la cerradura
todo, todo lo que sabe.

EL ESTORNUDO

Una vez, el estornudo
decidió quedarse mudo
y su conocido ¡atchís!
no salió por la nariz.
Todo el cuerpo preocupado
preguntaba: —¿Qué ha pasado?
—¿Y si le hacemos cosquillas?
—propusieron las rodillas.
—Déjenlo, no le hagan caso
—decía ofendido un brazo.
Pero el pie le contestó:
—Esa no es la solución.
—Algo tenemos que hacer.
Yo así no lo puedo ver
—le dijo un ojo a una oreja
que lo escuchaba perpleja.
El ombligo indiferente
conversaba con los dientes
y los hombros aburridos
decían: —Se habrá dormido.
Pero la lengua indignada
no podía estar callada
y retaba a las muñecas
que no se quedaban quietas.
—Yo me voy a volver loca
—gritó angustiada la boca.
—Para mí que es pura maña

—opinaba una pestaña.
—A lo mejor está enfermo
—le comentaron los dedos
a los codos y a las piernas
que estaban bastante serias.
—Así no ganamos nada
—dijo la frente arrugada.
Y entre tanta discusión
la mano dio su opinión:
—Pregúntenle al estornudo
por qué se ha quedado mudo
y sabremos qué pasó.
Y el estornudo explicó:
—Es que ya estoy muy cansado
de estar siempre estornudado
y que digan que molesto
cada vez que yo aparezco.
Todo el cuerpo sorprendido
escuchaba conmovido
al estornudo apenado
llorando desconsolado.
—Pero todos te extrañamos
—decían para animarlo.
—Aunque seas fastidioso
te queremos con nosotros.
Y le dieron tanto aliento
que el estornudo contento,
agradecido y feliz
se trepó por la nariz
y saludó con su ¡atchís!

La escuela del pantano

Van llegando los alumnos
a la escuela del pantano
pues en el mes de diciembre
se dan clases de verano.

La araña muy hacendosa
en un rincón escondido
con hilo y con ocho agujas
da lecciones de tejido.

Repite serio el mosquito
en voz alta la lectura
que explica paso por paso
cómo dar las picaduras.

La rana con salvavidas
y una bikini marrón
empieza a dar en un charco
su clase de natación.

Con delantal y con gorro,
una abeja en la cocina
enseña cómo hacer miel,
su comida preferida.

El sapo en el trampolín
da nociones generales
a aquel que quiere intentar
dar saltos ornamentales.

El grillo dirige el coro
con su prima la cigarra.
Mientras él enseña canto,
ella toca la guitarra.

Silencio pide la hormiga
porque ya empiezan las clases
y lo reta al caracol
porque siempre llega tarde.

Mambo de las frutas

A una playa del Caribe,
llegó muy contento el mango
tarareando sin cesar
una música de mambo.

La que primero salió
a danzar fue la ciruela
contoneando la cadera
como le enseñó su abuela.

Y detrás de ella la piña
con su primo, el ananá,
con una coreografía
iban de aquí para allá.

La banana se movía
quebrando bien la cintura.
De lejos la criticaban,
verdes de envidia, las uvas.

La frutilla, de vergüenza,
estaba muy colorada
y el amargo del pomelo
no quiso bailar por nada.

Mientras seguía el compás,
la manzana se reía
al ver cómo tropezaba
el limón con la sandía.

La naranja le enseñaba
a bailar a la frambuesa
y les seguía los pasos
concentrada, la cereza.

Debajo de una palmera,
para no hacer papelón,
tomaba clases la pera
con el profesor melón.

Al kiwi que es extranjero,
le explicó la mandarina
cómo se bailaba el mambo,
pero él igual no entendía.

Bailaron toda la noche
y me contaron que el coco
con ese ritmo sabroso
se movía como loco.

El cumpleaños del oso

Como el oso cumple años
y quiere hacer una fiesta
viene toda su familia
a la hora de la siesta.

Esa mañana, su esposa
para darle una sorpresa
le ha preparado una torta
de chocolate y cerezas.

Lo abrazan sus cuatro hijos
y el oso feliz los deja
que le den muertos de risa
un largo tirón de orejas.

Son su mamá y su papá
los primeros invitados
que le han comprado una caja
de bombones de pescado.

Llega enseguida su hermana
con sobrinos y sobrinas
y hasta un pariente lejano
que ha venido de la China.

Su abuela corta de vista
cree que habla con la tía,
pero en realidad conversa
con una silla vacía.

Su primo del Polo Norte
trae un regalo muy raro:
un puñadito de nieve
y cuatro kilos de helado.

Cuando ya no falta nadie
sopla el oso las velitas.
—¡Que los cumplas muy feliz!
—canta toda su familia.

El ciempiés descalzo

A la sombra de un jazmín,
el ciempiés está llorando.
Se lastimó sus cien patas
por andar siempre descalzo.
Pero no tiene dinero
para comprarse zapatos
y por eso sus amigos
han decidido ayudarlo.
Con un piolín, una araña
le teje doce escarpines,
y le da el bicho bolita
un viejo par de botines.
Una oruga en camisón
le obsequia chinelas rosas,
y sus sandalias de trébol
le trae la mariposa.
Un pájaro carpintero
le hace unos enormes zancos,

y ha encontrado el cascarudo
unos borceguíes blancos.
Trae el grillo mocasines
aunque están un poco chuecos,
y vuela a Suiza la mosca
donde consigue unos zuecos.
Las hormigas elegantes
le ofrecen sesenta botas.
En cambio, la lagartija
le regala unas ojotas.
Una rana deportista
le presta sus zapatillas,
y sus pantuflas de lana
le da amable la polilla.
En las patas que le faltan
se calza unos mocasines,
y al final el caracol
le consigue ¡seis patines!
¡Qué contento está el ciempiés
con sus patas protegidas!
Aunque en lugar de un ciempiés
parece zapatería.

El sapo con zapatillas

Un sapo con zapatillas
salió a pasear por la orilla
de un charquito de jabón
y ¡FIUUUU! tuvo un resbalón.

Cayó el pobre de cabeza
sobre un plato de cerezas
que justamente comía
de desayuno una hormiga.

Quedó todo colorado
y con el traje arrugado,
una patita torcida
y un raspón en la barriga.

Además, del coscorrón,
le salió al rato un chichón.
Lo consolaba la rana
cantándole: —Sana, sana...

Vino a atenderlo enseguida
una abeja comedida.
Le preparó té de miel
en tacita de clavel.

Improvisó una camilla
rapidito la polilla
con dos pétalos de rosa
que le dio la mariposa.

Lo vendó con mucha maña
habilidosa la araña
con una hilacha de lana
que tejió por la mañana.

Trajo unas gotas de hielo
desde una nube en el cielo
un mosquito explorador
para calmarle el dolor.

Recetó el escarabajo
una pomadita de ajo
y le puso la lombriz
cataplasmas de maíz.

A caminar otra vez
lo ayudó, claro, el ciempiés
que le regaló un bastón
de ramita de limón.

Al fin el sapo curado,
aunque un poco magullado,
le agradeció a sus vecinos
y continuó su camino.

Desde entonces no se vio
en un charco de jabón
a otro sapo en zapatillas
que paseara por la orilla.

DISCUSIÓN EN EL DESAYUNO

Una taza preocupada
le preguntó a una tostada
—¿Qué ocurre con la manteca
que la noto tan inquieta?
—Se peleó con mermelada
—intervino la cuchara.
—No seas tan indiscreta
—la retó la servilleta.
—Cállense —gritó la leche—
si no quieren que las eche.
—Yo me voy porque me aburro
—le dijo un bizcocho a un churro.
La cafetera molesta
pues la mesa no está puesta
se enojó con el mantel.
—Pero no es por culpa de él
—lo disculpó la tetera—.
Ellas son las que pelean.
—Es que es una entrometida.
Ya no quiero ser su amiga
—se defendió mermelada
que estaba muy indignada.
—Y ella es una pegajosa
—le contestó fastidiosa
la manteca desde un plato
que escuchaba hacía un rato.

—¡Qué vergüenza! —comentaba
el azúcar con la pava—.
Discutir de esa manera
siendo buenas compañeras.
—Pasa que es una coqueta
—insistía la manteca.
—Es mentira, está celosa
porque yo soy más sabrosa
y ella es una desabrida
—contestó la otra ofendida.
—Pero, ¿qué es lo que pasó?
—les preguntó el colador—.
¿Por qué se han enemistado?
—Es que se han enamorado
las dos del mismo cuchillo
—dijo el dulce de membrillo.
—¡Qué escándalo! —criticaban
las galletitas saladas.
—Nunca escuché cosa igual
—le dijo la miel al pan.
—Bueno, basta de una vez
—gritó por fin el café—.
Cada uno a su lugar
que viene a desayunar
la familia. ¡A hacer silencio!
¿Y cómo termina el cuento
de esta discusión? Sencillo:
parece ser que el cuchillo
no le fue fiel a ninguna:
se fue con la medialuna.

EL SUPERMERCADO

Han puesto un supermercado
y allá van los animales
pues vende todo al contado.

El gallo madrugador
compra para su trabajo
un reloj despertador.

Llega coqueto el león
y elige un peine de nácar
y una peluca marrón.

Ha pedido la jirafa
que es bastante friolenta
doce metros de bufanda.

Lleva el ciempiés apurado
diez pares de zapatillas
y cuarenta de zapatos.

Un pulpo muy elegante
se prueba un sombrero de algas
y al final compra ocho guantes.

La araña para su hermana
compra agujas de tejer
y dos ovillos de lana.

El murciélago impaciente
llega volando a pedir
que le vendan unos lentes.

Viene una vieja tortuga.
Compra en la perfumería
una crema para arrugas.

El zorrino preocupado
porque tiene mal olor
compra un perfume importado.

El tigre un poco molesto
se compró un traje rayado
igual al que tiene puesto.

Un grillo y una cigarra
para cantar serenatas
se compran una guitarra.

Muy conforme sale el mono
que va a un baile de disfraces
y se ha comprado un quimono.

Hasta el caracol por fin
para viajar rapidito
se compra un monopatín.

El pavo reta a la pava
porque da vueltas y vueltas
y compra puras pavadas.

Y ya todos han comprado
menos el pobre avestruz
que el dinero se ha tragado.

MERCADO

El monstruo y la princesa

Un monstruo todo peludo
con una boca de embudo
y unos dientes afilados
(y bastante mal lavados)
salió a buscar su comida
un jueves al mediodía.
Pero no le era sencillo
conseguir un bocadillo
pues, como buen monstruo hambriento,
(tal como dicen los cuentos)
para saciar su apetito
no bastaba un huevo frito

(menos un huevo poché)
ni salchichas con puré,
tampoco una milanesa,
sino una hermosa princesa
algo que, como sabrán,
no hay en ningún restaurant
ni en ningún supermercado
(ni siquiera en el de al lado).
De bastante mal humor
buscó y buscó alrededor
algo al menos parecido
a su plato preferido
(ya les dije, una princesa,
no va a ser una hamburguesa).
E iba a darse por vencido
pues la panza le hacía ruido
cuando divisó a lo lejos
un castillo medio viejo
y fue corre que te corre
ya que en lo alto de la torre
se asomaba una princesa
suspirando con tristeza.
—Yo me la como enseguida
aunque no esté bien cocida,
pues si no, al verme, sin duda
gritará pidiendo ayuda
—pensó el monstruo desalmado
que de un salto estuvo al lado
de la indefensa princesa
causándole gran sorpresa.

Pero no pudo asustarla
(mucho menos masticarla).
Pues cuando el monstruo angurriento
hizo el primer movimiento
de engullir a la princesa
(sin ponerle mayonesa)
ella le gritó enseguida
enojada y ofendida:
—Pero ¿qué hacéis, atrevido?
¡Qué vergüenza! Haber venido
a comerme en mi castillo
sin tenedor ni cuchillo.
—Os juro que no es así.
Yo pasaba por aquí
—disimuló el desgraciado
señalando hacia un costado.
—Yo no soy tan papafrita
como fue Caperucita
que el lobo usó de alimento
por sus falsos argumentos
—le retrucó la princesa
mirándolo con fiereza—.
Tengo personalidad
y fui a la universidad
y por eso sé un montón
(incluso computación).
Me defiendo bien solita
sin hechizos ni varitas
como las que usan las hadas
pues no soy una tarada.

Prestadme mucha atención:
es de mala educación
andar comiéndose gente
que uno encuentra de repente.
Merecéis una sanción:
Idos ya mismo al rincón.
—Es que no tengo comida
y me duele la barriga.
No he probado ni un bocado
desde el sábado pasado.
Nunca me alcanza el dinero
para comprar lo que quiero,
ni un helado, un salamín
o al menos un chupetín
—dijo el monstruo arrepentido
llorando a moco tendido.

La princesa conmovida
decidió hacerse su amiga:
—Voy a brindaros consuelo
y a prestaros un pañuelo,
si juráis solemnemente
comer de un modo decente
con una dieta variada
y mejor equilibrada
que no lleve a vuestra mesa
ni grasas trans ni princesas.
Desde entonces son amigos
y se los ve muy unidos.
El monstruo está muy cambiado
porque incluso ha adelgazado
y no come más humanos.
Se ha hecho vegetariano.
Los dos se hacen compañía
y comparten cada día
algún yogur descremado
y galletas de salvado.
Dan paseos por el campo
y, la verdad, cada tanto
si la princesa lo mira,
él... ¿qué quieren que les diga?
Para mí que esto termina
como nadie lo imagina:
se transforma a lo mejor
en una historia de amor.